Insectos

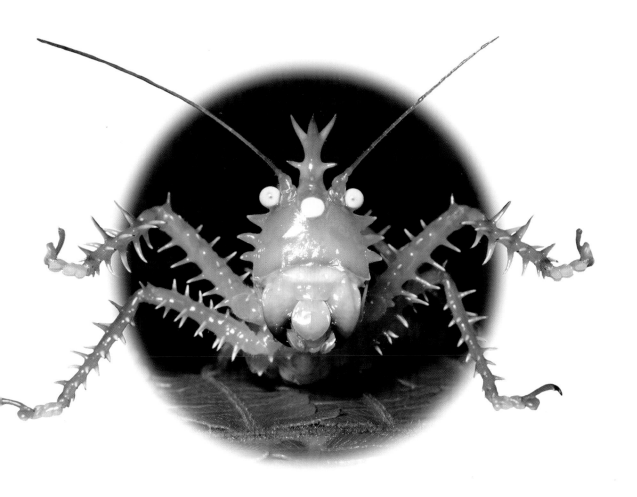

Primera Edición: 2007
ISBN: 978-84-96609-96-9
Título original: Insects
Edición original: © Kingfisher Publications Plc
Maquetación: TXT Servicios editoriales – Esteban García Fungairiño
Traducción: Equipo Edilupa

Agradecimientos
La editorial quisiera agradecer a aquellos que permitieron la reproducción de las imágenes. Se han tomado todos los cuidados para contactar con los propietarios de los derechos de las mismas. Sin embargo, si hubiese habido una omisión o fallo la editorial se disculpa de antemano y se compromete, si es informada, a hacer las correcciones pertinentes en una siguiente edición.

i = inferior; ii = inferior izquierda; id = inferior derecha; c = centro; ci = centro izquierda; cd = centro derecha; s = superior; sd = superior derecha; d = derecha

Fotos: cubierta Corbis/Zefa; i Frank Lane Picture Agency (FLPA)/Michael & Patricia Fogden; 2-3 Nature Picture Library (Naturepl)/Ingo Arndt; 4-5 Corbis/Michael & Patricia Fogden; 6-7 FLPA/Minden; 7sd FLPA/Panda Photo; 7id Getty Dorling Kindersley; 8l FLPA/Foto Natura; 8-9 FLAP/Roger Wilmshurst; 9d FLPA/B. Borrell Casals; 10i Ardea/Pascal Goetgheluck; 10-11 FLPA/Minden; 11sd Ardea/Steve Hopkin; 12 FLPA/Minden; 12-13 Naturepl/Ingo Arndt; 13sd Natural History Picture Agency (NHPA)/ Stephen Dalton; 14cd NHPA/James Carmichael; 14ci FLPA/Foto Natura; 14ii Naturepl/Duncan McEwan; 15 Photolibrary.com; 16 NHPA/Paal Hermansen; 17s Ardea/Steve Hopkin; 17i FLPA/Minden; 18 Photolibary.com; 19s Photolibrary.com; 19i FLPA/Derek Middleton; 20ii Naturepl/Premaphotos; 21sd FLPA/Richard Becker; 21i FLPA/Foto Natura; 22 Science Photo Library(SPL)/Susumu Nishinaga; 22ii Naturepl/Warwick Sloss; 23s Ardea/Steve Hopkin; 23ci SPL/Nuridsany & Perennou; 23cd SPL/Susumu Nishinaga; 23id Naturepl/Ross Hoddinott; 24-25 Naturepl/Premaphotos; 24b FLPA/Foto Natura; 25id Ardea/John Mason; 26 Corbis/Anthony Bannister; 26ii FLPA/Foto Natura; 27b Naturepl/Martin Dohrn; 28ci Alamy; 28id Photolibrary.com; 29 Naturepl/Michael Durham; 29b Getty NGS; 30 Corbis/Anthony Bannister; 31s NHPA/George Bernard; 31i FLPA/Foto Natura; 32 FLPA/Minden 33sd FLPA/Derek Middleton; 33i FLPA/Minden; 34-35 Photolibrary.com; 34i Photolibrary.com; 35sd Photolibrary.com; 36 Photolibrary.com; 37s Naturepl/Martin Dohrn; Corbis/Anthony Bannister; 38 Alamy/Peter Arnold Inc.; 39s Alamy/Robers Pickett; 39i Alamy/Maximilian Weinzierl; Getty Imagebank

Fotografía por encargo de las páginas 42-47 por Andy Crawford.
Coordinador de la toma: Jo Connor
Agradecimiento a los modelos Alex Bandy, Alastair Carter, Tyler Gunning and Lauren Signist.
Impreso en China - Printed in China

Insectos

Barbara Taylor

Contenido

¿Qué es un insecto?

Un insecto es un animal pequeño, con seis patas, su cuerpo está dividido en tres partes y está cubierto por un esqueleto exterior duro que lo protege como una armadura.

libélula

Al vuelo

La mayoría de los insectos tienen uno o dos pares de alas. Las alas forman parte de la cubierta exterior del cuerpo y están unidas al tórax del insecto.

esqueleto – *estructura que sostiene el cuerpo del animal*

Primeros insectos

Los primeros insectos vivieron en la tierra hace casi 400 millones de años, mucho antes de que hubiera seres humanos. Este insecto quedó atrapado en la savia pegajosa de un árbol y se conservó durante millones de años.

¡No es un insecto!

Las arañas no son insectos: tienen ocho patas y su cuerpo solo está dividido en dos partes. La cabeza y el tórax están unidos. Tampoco tienen alas.

Todo tipo de insectos

Hay millones de tipos de insectos como escarabajos, mariposas, polillas, abejas, avispas, moscas y chinches.

Avispas

Las avispas pertenecen a un grupo de insectos en el que también están las abejas y las hormigas. La avispa tiene una "cintura" estrecha y pliega las alas hacia su cuerpo.

Moscas

La mosca tiene sólo un par de alas, pero puede volar muy bien. En el grupo de las moscas también están los mosquitos y los moscones como este.

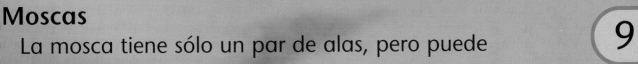

Mariposas

Las mariposas y las polillas tienen las alas cubiertas de escamas como las tejas de un tejado. En general, las mariposas son de colores brillantes y vuelan durante el día.

moscas – *insectos con sólo un par de alas*

De todos los tamaños

La mayoría de los insectos son pequeños –incluso los más grandes cabrían en tu mano. Eso significa que pueden vivir en espacios pequeños y no necesitan mucha comida.

Pulgas diminutas

Las pulgas viven en la piel de los mamíferos o en las plumas de las aves. Tienen garras para sujetarse y largas patas para saltar de un animal a otro.

mamíferos – *animales que se alimentan con leche materna*

Liendres molestas

Los piojos se alojan en el cabello humano y chupan la sangre de nuestra piel. Las hembras pegan sus huevos (que se llaman liendres) en el pelo.

Weta gigante

Los wetas son grillos que viven en Nueva Zelanda. Es probable que crecieran tanto porque no había grandes mamíferos depredadores que se los comieran.

depredadores – *animales que cazan y se comen a otros animales*

Insectos atletas

Algunos insectos son como los atletas: son estupendos corredores, saltadores de altura y levantadores de peso. Usan su potencia para buscar comida o pareja, o para sobrevivir.

Levantador de peso

¡Uno de estos escarabajos rinoceronte ha logrado levantar al otro! Se ha ganado la oportunidad de quedarse con las hembras.

pareja – *compañero para criar o reproducirse*

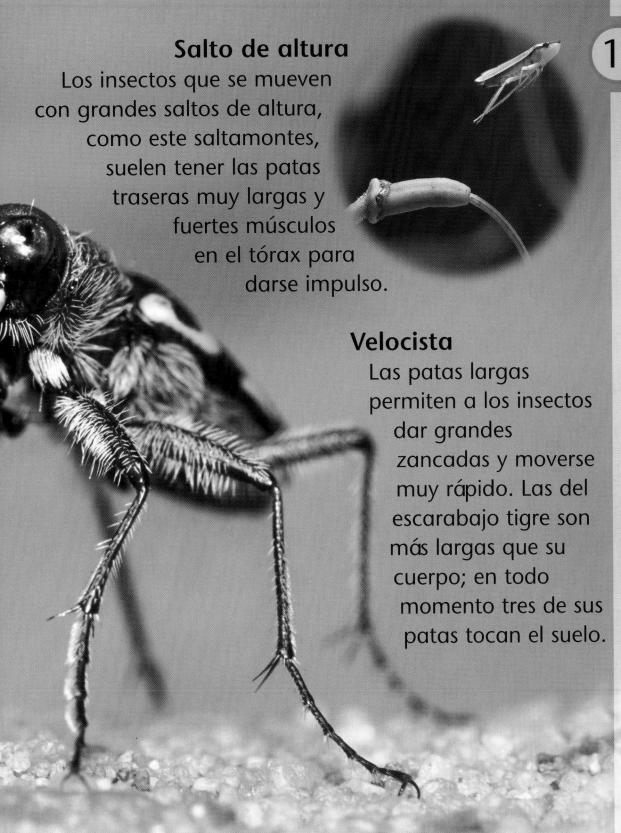

Salto de altura

Los insectos que se mueven
con grandes saltos de altura,
como este saltamontes,
suelen tener las patas
traseras muy largas y
fuertes músculos
en el tórax para
darse impulso.

Velocista

Las patas largas
permiten a los insectos
dar grandes
zancadas y moverse
muy rápido. Las del
escarabajo tigre son
más largas que su
cuerpo; en todo
momento tres de sus
patas tocan el suelo.

músculos – *partes del cuerpo que producen movimiento*

Alas maravillosas

Los insectos fueron los primeros animales que pudieron volar. Esta capacidad los ayuda a buscar comida o pareja y a escapa del peligro, pero gastan mucha energía.

Largos viajes

Las mariposas monarca vuelan miles de kilómetros cada año para huir de los fríos inviernos de Canadá. Esto se llama migración.

Cubre-alas

Los escarabajos tienen dos pares de alas. Al aterrizar, sus duras alas delanteras cubren y protegen las delicadas alas de vuelo.

flexible – con posibilidad de doblarse sin romperse

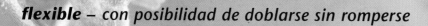

Alas fuertes

Una red de venas en las
alas del insecto las hace
fuertes y flexibles. En estas
alas de cigarra se pueden
ver las venas con claridad.

enas – por donde circula la sangre

Colores ingeniosos

Los colores apagados ocultan a los insectos de los depredadores. Los que tienen colores brillantes o llamativos suelen ser venenosos.

Colores de advertencia

Las manchas de color rojo brillante en esta polilla son un mensaje de advertencia: "no me comas, tengo un veneno mortal".

Avispa falsa

El escarabajo avispa no puede picar y no es peligroso. Los depredadores no lo tocan porque piensan que es una avispa que puede picarlos.

Jugando al escondite

Con el camuflaje, los insectos se ocultan de los depredadores simulando ser las plantas en las que viven. ¡Este parece que tiene una espina en el lomo!

amuflaje – forma, color o dibujo que ayuda al animal a ocultarse

A la defensiva

Los insectos tienen diferentes maneras de defenderse: con sus afiladas mandíbulas, con picaduras dolorosas, ¡incluso con armas químicas!

¡Listos, apunten, fuego!

El escarabajo bombardero lanza veneno a sus enemigos. Este veneno se produce en el cuerpo de los escarabajos cuando los amenaza algún peligro.

Zumbido horribl

Si se las molesta, estas cucarachas hacen un fuerte silbido sibilante al soplar por los respiraderos de sus costados. Esto asusta a los depredadores y a ellas les da tiempo a escapar.

aguijón – órgano punzante de algunos insectos con el que inyectan veneno

Escarabajo peleón

El escarabajo estafilino se defiende doblando su abdomen sobre el lomo como un escorpión. Al mismo tiempo, suelta un olor fétido y entrechoca sus mandíbulas.

abdomen – *parte del cuerpo que contiene el aparato digestivo*

Insectos sensibles

La vista, el tacto, el olfato y el oído de los insectos son vitales para su supervivencia. Suelen ser mucho mejores que los nuestros, pero funcionan de forma diferente.

Tacto y olfato

Los insectos usan las antenas para tocar y oler su entorno. Las antenas de este gorgojo tienen pelos especiales en la punta para detectar olores.

sentidos – *con lo que se detecta el entorno*

Abanicos en la cabeza

Los escarabajos agitan las antenas cuando vuelan para aumentar su tamaño. Esto los ayuda a detectar cualquier olor.

Ojos de espía

Los enormes ojos de esta mosca están formados por miles de ojos muy pequeños. Así puede ver en muchas direcciones a la vez.

antenas – estructuras largas y delgadas de los insectos para el tacto y el olfato

Insectos hambrientos

Algunos insectos, como las cucarachas, comen casi cualquier cosa, pero la mayoría se alimenta de comida especial. Sus partes bucales los ayudan a sostener y morder comida sólida, o absorber líquidos.

Boca esponjosa

La mosca convierte su comida en una sopa espesa, y luego usa una estructura esponjosa (izq.) para absorberla. ¡También puede probar su comida con las patas!

Mandíbulas dentadas

Los depredadores necesitan mandíbulas afiladas y agudas para retener y desmenuzar a su presa. Los que comen plantas tienen mandíbulas redondeadas para moler su comida.

Con pajita

Mariposas y polillas se alimentan de líquidos como néctar de flores o frutas en descomposición. Sorben su comida con una especie de trompa, o probóscide, que hace las veces de una pajita.

néctar – líquido dulce segregado por las plantas

Plantas comestibles

Todas las partes de las plantas sirven de alimento para los insectos. Algunos son agricultores y cosechan sus propios cultivos.

Hojas para el almuerzo

Las hojas no contienen muchas virtudes, así que es necesario comer muchas. Los saltamontes son muy descuidados y desgarran las hojas al comer.

hongo – *planta que se alimenta de materias en descomposición*

Cultivan su comida

Las hormigas cortadoras mastican parte de las hojas y hacen una especie de abono. En ese abono cultivan hongos, así siempre tienen alimento suficiente.

Madera para comer

La madera tiene menos cualidades alimenticias que las hojas, pero algunos insectos la comen. Las larvas del escarabajo del reloj de la muerte comen madera húmeda durante muchos años hasta llegar a ser adultos como éste.

larvas – *insectos jóvenes que nacen del huevo*

Cazadores

Los insectos pueden cazar de tres formas: persiguiendo a su presa, saltándole encima desde un escondrijo o tendiéndole una trampa. La mayoría cazan solos, pero algunos lo hacen en grupo.

¡Cuidado, una mantis!

Muchos mántidos parecen hojas. Se están quietos y lanzan sus largas patas delanteras para capturar insectos. Con sus afiladas quijadas cortan la presa y le absorben el interior.

presa – *animal matado o comido por otro animal*

Comida jugosa

Las moscas salteadoras
cazan insectos con sus
largas y peludas patas.
Luego convierten las
entrañas de la presa en
una sopa liquida y
absorben su
comida.

Ahora todos a la vez

Las hormigas soldado de la América
tropical cazan en grupos numerosos.
Se ayudan para cazar y matar a su
presa. Estas hormigas soldado
han capturado un
ciempiés.

trópico – zona cerca del ecuador con clima cálido y seco

Ciclos de vida

El ciclo de vida de muchos insectos tiene cuatro etapas: huevo, larva, ninfa y adulto. Escarabajos, mariposas, polillas, moscas, pulgas, abejas, y hormigas se desarrollan as

1 Huevo

Una mariposa monarca pon sus huevos bajo las hojas de la planta del algodoncillo. Una semana después, de los huevos salen orugas con rayas.

2 Larva

La hambrienta oruga come, come y come. Cambia la piel varias veces al crecer. Esto se llama mudar la piel.

oruga – *larva en forma de gusano de mariposas y polillas*

3 Ninfa

Cuando la oruga ha crecido bastante, se convierte en ninfa, o crisálida. Dentro de esta, el cuerpo de la oruga se convierte en el de una mariposa.

4 Adulto

La ninfa se abre y sale la mariposa adulta. Bombea sangre a sus alas para extenderlas, y espera a que se sequen. Luego vuela en busca de una pareja.

crisálida – *estado previo al de insecto adulto*

Huevos de insectos

Casi todos los insectos nacen de huevos pero muy pocos los cuidan. En general, los ponen sobre o cerca del alimento, a salvo de depredadores y del mal tiempo.

Comida a mano

El escarabajo pelotero hace bolas con excremento, y las lleva hasta un sitio seguro. La hembra pone los huevos dentro de la bola para que las crías tengan comida al nacer.

eclosionar – *salir de un huevo*

Madre protectora

La tijereta hembra cuida sus huevos durante meses hasta que eclosionan. Al nacer, las crías se parecen a su madre, pero sin alas.

Macho guardián

Esta libélula macho sostiene el cuello de la hembra mientras ella pone sus huevos en las ramas de plantas bajo el agua. Cuando los huevos eclosionan, los jóvenes viven bajo el agua el primer año.

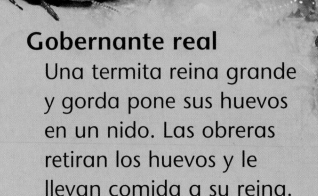

Convivir

La mayoría de los insectos viven solos, pero algunos viven y trabajan en grupo, son los insectos sociales: hormigas y termitas, así como algunas abejas y avispas.

Gobernante real
Una termita reina grande y gorda pone sus huevos en un nido. Las obreras retiran los huevos y le llevan comida a su reina.

social – *vida en grupo con otros del mismo tipo o especie*

Nido de papel

Las avispas de papel hacen su nido masticando madera y mezclándola con su saliva para hacer "papel". Dentro del nido hay muchas cajas pequeñas llamadas celdas, donde crecen las crías.

Tejido especial

Las hormigas tejedoras trabajan en equipo para hacer un nido de hojas con seda pegajosa. Si trabajasen en solitario no serían lo bastante fuertes para hacerlo.

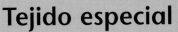

reina – en un grupo de insectos sociales, la hembra que pone los huevos

Colmena de miel

Las personas fabrican nidos artificiales, o colmenas, para las abejas melíferas. Estas hacen la miel con néctar de flores y los apicultores la recogen para el consumo humano.

Ciudad de cera

Las abejas melíferas usan la cera de sus cuerpos para hacer filas de cajas de seis lados, o celdas, que se ajustan entre sí y hacen una lámina delgada llamada panal.

artificial – *hecho por el hombre*

Abeja reina

La abeja grande del centro es una melífera reina. Es la que pone todos los huevos en la colmena de abejas.

Apicultor

Los apicultores sacan los panales para revisar la miel y las crías del interior. Usan ropa especial para protegerse de los aguijones de las abejas.

apicultor – persona que cuida las colmenas de abejas melíferas

Amigos y enemigos

Muchos insectos son beneficiosos pues ayudan al desarrollo de las semillas y son importantes en las cadenas alimentarias pero algunos causan problemas al comerse las cosechas o trasmitir enfermedades.

Portadores de polen

Muchas flores dependen de los insectos para que el polen llegue a otras flores del mismo tipo. Las plantas deben ser polinizadas para que las semillas se desarrollen.

Chupasangre

Los mosquitos hembra chupan sangre para que sus huevos se puedan desarrollar. Al picar, algunos transmiten males como malaria y fiebre amarilla.

Cadena alimentaria

Desde las aves y las ranas, a los osos y las crías de cocodrilo, muchos animales comen insectos por ser ricos en las proteínas vitales para el desarrollo.

cosecha – cultivo de plantas para tener alimento y materiales

Insectos **acuáticos**

Muchos insectos viven en agua dulce, donde abunda la comida y se protegen de los depredadores. Algunos se deslizan sobre la superficie, otros nadan, otros se ocultan en el fondo.

Guardando aire

Los grandes escarabajos buceadores toman aire de la superficie. Lo guardan bajo las cubiertas de sus alas, y así pueden respirar cuando están bajo el agua.

agua dulce – *el agua de lagos, arroyos, estanques y charcos*

Caminante del agua

Los zapateros pueden caminar sobre la superficie del agua. Sus largas patas distribuyen el peso en un área amplia para que no se hundan.

Larvas de libélula

Las crías de libélula viven bajo el agua, y los adultos en el aire. Son fieros cazadores y comen incluso peces.

Luces de la noche

Los insectos brillan en la oscuridad para atraer a una pareja o a una presa, o para advertir a sus amigos de un peligro, o decir a los depredadores que son venenosos.

Ven y atrápame

Las luciérnagas y los gusanos de luz son escarabajos que salen de noche. Algunos brillan todo el tiempo, otros encienden y apagan su luz con un patrón particular. Estas señales luminosas se usan para conseguir pareja.

Cortinas naturales

Pequeñas moscas de Nueva Zelanda brillan en gruesos hilos que cuelgan del techo de las cuevas. Las presas son atraídas a la brillante cortina y quedan atrapadas en los hilos.

Bichos brillantes

Una luciérnaga produce un resplandor de luz cuando el oxígeno se mezcla con sustancias químicas del interior de su abdomen. Funciona igual que en los tubos fluorescentes que compramos.

luciérnaga – escarabajo brillante nocturno

Cubo-casa

Dormitorio de insectos

Hazles una casa a los insectos que viven cerca de ti. Dibuja a los bichos que se meten en ella y apunta sus nombres.

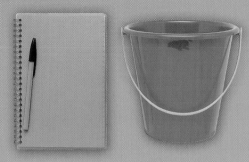

1

Materiales
- cubo de plástico
- bolígrafo y cuaderno
- piedras, hojas y hierba

Busca un sitio húmedo y sombreado cerca de casa. Pon el cubo boca abajo apoyado sobre unas piedras, hojas y hierba. Déjalo toda la noche y luego mira si se metió algún animal.

Cuando hayas acabado, recuerda soltar a los animales.

Diseño de mariposas

Dibuja una mariposa

Los dibujos de las alas de una mariposa son iguales en los dos lados. Pinta una mariposa con lados iguales.

Materiales
- cartulina
- lápiz
- tijeras
- témperas
- pincel
- limpia pipas

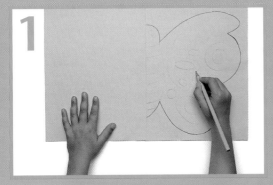

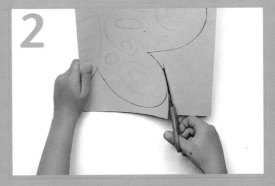

Dobla la cartulina por la mitad y luego extiéndela. Dibuja la mitad de una mariposa en uno de sus lados.

Vuelve a doblar la cartulina dejando a la vista tu dibujo. Recorta la mariposa con cuidado.

Abre la cartulina para ver completa la mariposa y haz las antenas con un limpia pipas.

Con la cartulina extendida, pinta uno de los lados. Dobla la mariposa, ahora con la pintura hacia dentro, y presiónala.

Modela insectos

Haz una mariquita

Con papel maché haz una mariquita gigante. Píntala de rojo y negro para que parezca una mariquita de verdad. Los colores brillantes de la mariquita advierten a los depredadores que es venenosa y sabe mal.

Materiales

- un globo
- vaselina
- pincel
- periódico
- cola de pegar
- tijeras
- pinturas
- limpia pipas
- pegamento o cinta adhesiva

Pide a un adulto que te ayude a inflar el globo. Aplica una ligera capa de vaselina en todo el globo y luego lávate las manos.

Cubre todo el globo con tiras de periódico. Ponle cola a todo el papel y repite la operación al menos cinco veces.

Pon a secar el globo en un sitio cálido. Cuando se endurezca la superficie, corta cuidadosamente en dos el globo con las tijeras.

Pinta el globo con los colores de la mariquita. Usa limpia pipas para hacer las patas, y pégalas con goma o con cinta adhesiva.

Busca en libros si hay escarabajos de otros colores diferentes y pinta la otra mitad del globo con esos colores.

Cuelga un móvil colorido cerca de una ventana, o afuera, y mira los insectos volar alrededor de la flor cuando sopla el aire.

mariquita

Materiales
- cartulina de colores
- lápiz
- tijeras
- pincel
- pinturas
- alambre fino
- cuerda
- papel
- hilo grueso
- delantal

Dibuja una flor grande en la cartulina de color y recórtala. Pinta la flor con los colores que quieras.

Con un adulto, haz un aro de alambre. Átale cuatro trozos grandes de cuerda y ata las puntas para colgar el móvil.

3

Calca o copia los insectos de esta página o dibuja en cartulina los que quieras. Córtalos y píntalos para que parezcan insectos.

4

Pide a un adulto que haga agujeros pequeños en la flor y en los insectos para que los ates al aro de alambre. Cuelga tu móvil.

abeja

escarabajo

libélula

Índice